ALFAGUARA **Grup Promotor**

www.alfaguaraij.cat

ALFAGUARA

Grup Promotor

www.alfaguaraij.cat

Frederic Mompou, 11 (Vila Olímpica)
08005 Barcelona
Telèfon: 93 230 36 00

ISBN: 978-84-7918-045-4
Dipòsit legal: M-40.003-2007

Primera edició: març 2005
Cinquena edició: octubre 2012

Disseny de la col·lecció:
Manuel Estrada

Printed in Spain

SANTILLANA

Les aventures de la Hilda

M. Àngels Bogunyà
Il·lustracions d'Anna Mongay

ALFAGUARA
Grup Promotor

1

Hola, sóc la Hilda. És un nom que m'agrada molt. Me'l vaig posar jo... més o menys. Però ja ho explicaré més endavant.

Sóc molt llesta i decidida. I aventurera. Ja ho veureu. Per això estic amagada, ningú no sap on sóc. (Només els meus amics, però no xivaran res.)

Jo vivia al zoo.

Però no sabia què era un zoo. Ni un carrer. Al carrer hi ha cines, crispetes, carrets d'anar a comprar i botigues de gelats. Ara sé moltes coses.

Perquè un dia vaig sortir del zoo.

Sí.

Vaig sortir volant. Sense ales. De veritat. Un fet prodigiós, extraordinari. Una cosa mai vista.

Tot va ser pel Jan.

Va començar així:

El Jan venia al zoo. A veure'm. A mi. Perquè sóc molt graciosa, faig moneries i set menes de tombarelles. I estic boja pels cacauets! Però el Jan no me'n donava, de cacauets, no, al zoo està prohibit i ell no fa mai res prohibit, em sembla.

El Jan m'explicava què feia a l'escola. Fa deures. I exercicis. Compta el preu de trenta ordinadors, els mobles d'una sala d'estar i coses així. Però ell no vol comprar res.

Vol ser explorador.

Quan sigui gran, esclar.

Per això va a la piscina i a anglès, perquè, per ser explorador, això és molt important.

I farà la volta al món.

Jo també faré la volta al món.

Amb el Jan.

Quan siguem grans.

Però hi havia un problema.

–Cabriola! Cabriola!

Aquesta era jo. (La cuidadora del zoo em cridava per donar-me pastís de poma. O cacauets. M'encanten els cacauets!) Però jo no podia ser una exploradora ni fer la volta al món amb aquest nom tan ridícul! Cabriola! Oh, no! Quin horror!

I estava amoïnada.

Un dia vaig sentir uns senyors. Per casualitat.

–És molt eixerida, la Hilda... –deien.

–I simpàtica!

–I espavilada!

–I aventurera! Molt aventurera!

Espavilada? Aventurera? Oh! Si aquesta era jo... Sí. Aquests senyors parlaven de mi! De la Hilda! Perquè... ara me'n recordo, quan era petita jo vivia a la selva, oi? Em sembla... Sí, i tant! Quan era molt, molt petita. I em deia Hilda.

Hilda!

Quin nom més bonic! Oh! Estava tan contenta amb el meu nom autèntic...

Però no el sabria ningú, el meu nom. No. Seria un secret. De moment. M'encanten els secrets! I estic boja pels cacauets!

I que bé que estaríem a la selva el Jan i jo, la Hilda, amb el meu nom autèntic!

2

Un dia el Jan no va venir.

I l'endemà tampoc.

Ni l'altre.

Ja havien passat cinc dies, els vaig comptar.

Em llevava d'hora. Mirava cap a la reixa. I no feia tombarelles ni feia res. Només vigilava si venia.

S'havia fet gran i se n'havia anat a la selva? Sense mi? Oh, no!

Vaig rumiar. Potser el Jan venia de nit. Potser s'havia fet explorador i els exploradors no dormen, de nit. Sí, devia ser això. De fet, dormir és molt avorrit, t'estires i no fas res. Somies. I llavors vénen els monstres! (N'hi ha de verds, de vermells, de negres, i uns que porten barret o tenen la boca molt grossa. I se't mengen, de vegades... Un cop un monstre ratllat em va mossegar una cama!)

Ui! Fóra millor estar desperta. Per si venia el Jan. O per si veia algun cacauet.

Però van apagar el llum.

I van tancar la reixa.

No es veia res. Bona nit!

Llavors em vaig convertir en hipopòtam.

Sense voler, esclar.

Perquè havia tret el meu caparró per la reixa, per veure el Jan. De dia, la reixa és molt bonica. De nit, és tot negre. I fa una mica de por, la veritat. Més valia tornar al meu llitet. Sí.

Però el cap no sortia de la reixa.

Vaig estirar. Em vaig aixafar les orelles i no el podia moure! El meu caparró havia crescut! S'havia fet gros com el d'un hipopòtam! Oh!

Em vaig enfadar. I feia anar la reixa d'aquí d'allà, amb un soroll... Però el meu cap d'hipopòtam no es va moure ni una mica.

I les altres mones es van despertar.

M'estiraven. Per un peu. Per la cua. Pels pèls! Hi havia bastant de rebombori.

Va venir la cuidadora.

Després van venir uns senyors amb granota blava. I van fer màgia. Amb foc! Surt de dins un tub. Es diu bufador. Els barrots es van estovar. I per fi vaig treure el cap de la reixa!

La reixa va quedar feta malbé.

I jo, bastant socarrimada.

L'endemà, em van dur al clan dels adults. Per trapella.

Quina sort! Des d'allà veuria el Jan!

3

Al clan de les mones grans em llevava d'hora. Quan tothom dormia. Els ocellets, no, aquests no dormien. Perquè canten. De bon matí. Que bonic!

Però n'hi havia que també estaven desperts, a més dels ocellets, esclar. Uns que vivien al costat. Rere una muntanya de pedrotes, amb un filat al capdamunt.

Un dia em vaig enfilar per les pedrotes i vaig arribar al filat.

Hi havia un forat petitó, al filat. I el meu caparró ja no era d'hipopòtam. Vaig passar pel foradet. I vaig baixar a saludar-los.

Eren uns de la meva família.

De fet no els coneixia. Però ens assemblàvem. Tenien pèl com jo. Exactament del mateix color. Érem parents. Cosins germans, em penso. Però ells tenien pèl a la cara i tot! Oh!

I eren més grossos.

Bastant més grossos.

Devien ser goril·les. Quina pinta, els goril·les! Per res del món voldria ser goril·la, jo!

Els goril·les caminaven a poc a poc, una mica zombis. Com si s'acabessin de llevar.

I em van veure.

Un goril·la em somreia, devia ser el cap del clan, vaig pensar. Li vaig veure totes les dents. Enooooormes! I molt netes. Potser se les acabava de rentar. I me les ensenyava mentre venia a saludar-me amb la boca oberta, de pressa. Que simpàtic!

Es va posar dret, i era més alt...

Jo li volia passar per sota les cames, fer-li una gracieta de les meves, una tombarella o així, que veiés com sóc de contorsionista i hàbil! Però cada vegada era més gros, aquell goril·la...

I el seguien dos més.

I també m'ensenyaven les dents!

Vaig pujar corrents a una palmera molt alta. Ells es van quedar a sota, amb la boca oberta.

Els vaig saludar amb la mà, des de dalt.

–Hola!

Em van respondre amb un so molt lleig, com un gruny, amb una veuota... Que mal educats! I no se n'anaven. No. S'estaven allà sota, amb aquella boca...

Però es veia un paisatge meravellós de dalt la palmera. Tot el zoo. Oh, hi havia cangurs! Quin lloc més interessant per amagar-se, dins la bossa dels cangurs, i quin amagatall més fantàstic per als meus cacauets! Estaria la mar de bé, jo, dins la bossa d'un cangur i aquests goril·les de les dents es quedarien amb un pam de nas!

Perquè els cangurs són molt divertits.

I els elefants també.

Em cauen molt bé, els elefants. Tenen una dutxa portàtil molt pràctica. A mi m'agradaria ser elefant. Sí. Per passejar-me per la selva, amb el Jan. Però una dutxa penjada al davant potser em faria entrebancar, no sé, ja m'ho rumiaré.

Els goril·les van seure sota la palmera, es veu que no tenien res més a fer.

Va passar un ocell; realment les ales són molt pràctiques. M'agradaria més ser ocell! Sí. Ara mateix. Per fugir dels goril·les.

Però l'ocell era un lloro. I em va informar que no eren goril·les, no: eren óssos. Quina sorpresa! Óssos disfressats de goril·les!

Mentrestant em vaig posar a buscar plàtans. A la palmera.

Però la palmera no tenia plàtans.

Ni cocos.

Si hagués tingut cocos els hauria tirat daltabaix, al cap dels goril·les disfressats d'óssos, a veure si se n'anaven a passeig!

Tampoc no tenia cacauets, aquella palmera. Em sembla que no era una palmera. Per fi ho vaig descobrir. Era una pomera. Tenia moltes fulles verdes i pomes. Unes pomes petitones de color fosc i forma de cagarret. O de botifarró.

Hi vaig clavar una mossegada.

–Ecs! Xuf! Plaf! Puaf! Uf!

Quin mal gust! Les vaig escopir de seguida. Al cap dels óssos. Sense voler. Però ells es van enfadar més. Justament una pometa d'aquelles va anar a l'ull del que m'ensenyava les dents. I l'hi va deixar morat. I el que tenia la boca oberta es va ennuegar!

Jo no els volia fer enfadar. Però es van enfadar. Molt. I llavors va passar una cosa horrorosa.

Perillosííííssima!

El que s'havia ennuegat va agafar el tronc de la pomera i va començar a sacsejar-lo. Zimzam! De veritat. Cap aquí, cap allà. I els altres també. I no paraven!

Em vaig agafar fort a les branques, però jo anava d'un cantó a l'altre, pobreta de mi. Ho feien amb mala intenció, vaig pensar. Per ferme caure!

I ho van aconseguir.

Primer van caure totes les pometes fosques que quedaven a l'arbre i també unes que ja estaven negres, d'enfadades, em penso.

I després vaig caure jo.

Daltabaix!

Aaaaiiiiii!

4

Us penseu que vaig caure sobre el cap dels goril·les, vull dir dels óssos disfressats de goril·les que m'esperaven amb la boca oberta ensenyant-me les dents? O damunt de les pometes en forma de cagarret que hi havia per terra com una catifa?

Doncs no.

Vaig caure en una piscina.

Més que una piscina: un llac! Un llac preciós. Perquè hi havia un llac vora la pomera. Sort que aquells óssos disfressats es deuen banyar en una altra hora i no s'hi van ficar. Tot el llac era per a mi... Quina sort!

Però tenia aigua pertot arreu, el llac.

Molta.

I jo també. De la cua fins al nas. I dins les orelles! I tenia peixets de colors als ulls, molt bonics.

Però el llac era fondo.

I jo no sabia nedar.

No havia tingut temps d'aprendre'n, ves! Em calia un curset. Un curset accelerat, per sortir d'aquest llac, de pressa!

–Auxiliiii! No sé nedaaaaar!

Vaig cridar molt, perquè estava una mica espantada, la veritat.

I llavors un peix se'm va posar a la boca. Sí. Una sardina o una anxova, no ho sé.

I em vaig ennuegar. Però, de cop i volta, vaig anar a cavall. Sí, sí, a cavall d'un peix. D'un peix enooooorme. Bé, semblava un peix, tenia forma de peix, però era un dofí. I els dofins no són peixos. No. Els dofins no tenen res a veure amb els peixos! Quina cosa més rara, oi? Ningú no ho diria!

El dofí va fer una capbussada espectacular i em va donar la primera classe de natació: jo havia de fer anar les meves extremitats. (En tinc quatre, d'això.) I no posar-me nerviosa. Sobretot no posar-me nerviosa. Era fonamental. Però tremolava. I tot em passava perquè volia saber on era el Jan!

És que el Jan s'havia canviat de casa. Vivia en una altra ciutat. Sí. I potser no tornaria! Ho havia dit aquell lloro. I el dofí ho va sentir. Perquè té una oïda molt fina. Oh, quina informació més interessant em va donar el dofí!

Jo ja no volia aprendre a nedar. No. Volia anar a la ciutat aquella, a buscar el Jan. Per això el dofí em va donar un cop de cua molt, molt fort.

I vaig volar.

Per l'aire. Sense ales! Ja ho he dit abans. Em creixerien mentre volava, pensava jo. Però em mirava les extremitats i no m'hi sortia ni una ploma! I anava tan ràpida que vaig avançar una puput i tot, i vaig passar al davant del lloro verd!

Volava sobre el llac. Tot es va fer petitó. Molt petitó. Vaig veure els del clan, allà baix. I l'elefant i els cangurs. I els óssos que em tiraven pometes. Però no tenien punteria, per sort.

Els vaig fer pam i pipa.

Després vaig veure cases i muntanyes. Em feia una mica d'impressió, perquè volava molt alt. I vaig aclucar els ulls. Fins que plaf! Vaig xocar amb un ocell grossíssim!

5

Era un ocell grossíssim. De colors. Molt bonic. Sense ales. Com una pera gegant. I un cabàs a sota. Un globus. Però jo era molt ignorant, aleshores, ja us ho he dit, i no sabia res del món de les persones. (I encara no sé com es diu l'arbre de les pometes en forma de botifarró, ves!)

El globus va fer un pet. I jo vaig caure al cistell. Amb un senyor que cridava. Però el globus aquell no li feia cas. Gens.

Primer anàvem d'un cantó a l'altre. El globus, el cistell, el senyor i jo. Després vam baixar en picat. A un camp d'aterratge. Ratllat blau. Guarnit amb banderetes.

Però el camp d'aterratge es va esbotzar. I vam caure a dins!

Hi havia un tou de gent... I elefants! Quin enrenou! Era un circ!

Vaig anar a parar sobre un cavall. El cavall va sortir esverat. Al galop! Pobra de mi! M'agafava fort a la crinera, però no sabia cavalcar, jo! I vés a saber on era el Jan! I algunes persones passaven corrents. I els arbres també corrien! Més de pressa... Uf! Quantes aventures en un dia!

Sort que vaig veure el lloro! I el vaig cridar.

Es va posar a volar al meu costat.

–Ep! On viu el Jan? –li vaig preguntar.

Allà, en aquelles cases. Segueix-me...

Però no era fàcil seguir el lloro. No.

Ell volava. El meu cavall galopava. I una branca d'arbre se'm va posar just al davant! I jo vaig anar per terra.

Adéu cavall i adéu lloro!

Però vaig saltar per les branques dels arbres. Fins que els arbres es van acabar. I vaig veure les cases. Les que m'havia dit el lloro.

Totes iguals. Un munt! Set o vint-i-nou, no ho sé! Estaven posades en un carrer, unes al costat de les altres.

Però no veia el Jan enlloc.

I no sabia què fer.

–Vigila! Vés amb compte. Hi ha gent. Amaga't allà dins, de pressa!

Era el lloro altra vegada! Quina sort! I em vaig tirar de cap allà on em va dir.

Al forat.

Un forat neeegre.

6

Un forat negre per dins.

I de quadrets verds per fora.

Amb tapa.

Vaig quedar una mica desconcertada. Sobretot quan el forat es va moure.

Després la tapa es va aixecar i em van caure tomàquets al cap. I un enciam. I plàtans! Uns plàtans boníssims. De Canàries. Els millors del món!

Ja me'ls havia cruspit quan el forat es va moure altre cop.

I llavors me'n vaig adonar. Del soroll. El feien uns animals de colors, amb potes rodones. Que divertits! Però la gent no anava al llom, no, anava a dins! Que estrany! Al zoo no havien vingut mai, aquests animals! Que fabulós el món de les persones!

D'aquests animals se'n diuen cotxes. Ho sé pel lloro, és molt savi, m'ha explicat un tou de coses. Els fan les persones, els cotxes. I els pinten de colors. Que sàvies, les persones! I que educades! Tenen regles per no trepitjar-se, perquè tots volen passar alhora. Al zoo no tenim regles, per això em van empaitar aquells goril·les. Estaria bé tenir una regla que prohibís empaitar mones indefenses, dic jo!

I em feia aquestes reflexions quan el forat negre de quadrets verds per fora es va aturar.

Una mà en va alçar la tapa.

Per treure l'enciam. I la salsa dels tomàquets. I els plàtans. Les pells de plàtan...

Llavors vaig veure uns ulls molt, molt oberts. D'una senyora. La senyora va xisclar i les pells de plàtan em van caure totes al damunt altre cop.

Vaig sortir del forat mentre la senyora se n'anava cridant. I algú va dir:

–Amaga't sota el sofà.

Era el lloro! Oh! Què hi feia allà? Quina sort!

És que vivia en aquella casa, sí, a estones. En una gàbia a la saleta i en un arbre, al jardí.

Es diu Parmènides.

Jo estava una mica marejada del viatge, però em vaig amagar sota el sofà perquè tornava la senyora amb un pal de fregar. I un nen. Un nen pigat. Com el Jan. Amb unes vambes vermelles, com les del Jan.

Un nen igual, igual que el Jan.

El Jan!

Oh! El meu amic! Per fi! Era a casa del Jan! I m'encanta el vermell! I m'encantaria ser pigada!

La senyora era la seva àvia. Ell li diu iaia, però jo li dic Calixta. Vaig estar molt contenta. Em queia tan simpàtic, el Jan! I ens ho passaríem tan bé a la selva! I que amable, el lloro!

El Jan va mirar sota el sofà.

–Ei! Hola! Sóc la Hilda –vaig dir molt fluixet.

El Jan va somriure, va fer xist, i em va aclucar un ull, només un. Se'n diu picar l'ullet. Sembla fàcil, oi? Doncs a mi em va costar molt, d'aprendre'n! Uf!

–Era una bèstia lletgíssima, Jan... –repetia la Calixta.

Una bèstia lletgíssima, jo? Si només anava empastifada de salsa de tomàquet...

–Se'n deu haver anat... –va dir el Jan.

–Se n'ha anat! Se n'ha anat! –repetia el Parmènides.

Em queia tan simpàtic, el Parmènides!

Després vaig sortir al jardí, quan el Jan i la Calixta se'n van anar, esclar.

El jardí era molt bonic. N'hi havia un trosset al davant amb margarides i un altre al darrere, amb gespa.

Per fer tombarelles.

I un arbre. Sense pomes.

I un lloc encantador per amagar-se: una caseta preciosa. Amb una teulada vermella i parets verdes. Me l'havia feta el Jan? Per a mi? Oh!

Però en va sortir una bèstia enorme, de la caseta.

Un animal desconegut...

Una mena de lleó gegant o una cosa així! Quin ensurt! Hi ha animals molt estranys entre les persones!

I em vaig amagar altre cop sota el sofà. Corrents! Quina por!

I on era el Parmènides?

7

Que bé que s'estava de nit, sota el sofà de casa el Jan, sense poder posar-me dreta i amb el meu nom d'exploradora! Hilda! Que bé que sonava!

Però no podia dormir. Sentia un tic-tac. I un ocell raríssim sortia del niu. Bé, no era un niu, era una caseta. De fusta. Petita. Penjada a la paret. M'hi vaig enfilar. I vaig tenir un ensurt...

L'ocell va sortir disparat per caçar-me! Oh, però va cantar, es va amagar al niu i la porteta es va tancar de cop. I de què si m'enganxa la cua! Estava una mica sonat, aquest ocell...

Jo era altre cop sota el sofà. Vaig sentir passes. Es va encendre el llum, en aquelles hores! La nit és per dormir, oi?

–Ei, psit! Moneta, moneta... Psit, psit...

Era el Jan. Em cridava com si jo fos un gat!

Volia que em quedés. A casa seva. La Calixta, no, no ho volia i, si m'enxampava, em duria al zoo, va dir el Jan. Per això em va ensenyar la casa. Em va portar on podia amagar-me i on estava prohibit. M'ho vaig anotar bé al meu cervellet de mona intel·ligent.

Prohibit entrar a la cuina.

Prohibit entrar a l'habitació de la Calixta.

I a la del bebè.

Prohibit jugar amb el bebè, no sap jugar. I prohibit el bebè sencer, perquè és molt complicat, el bebè.

M'amagaria sota el sofà, perquè la Calixta no es pot ajupir i no em veuria.

O dins d'una capsa que havia descobert a l'armari del Jan, una de grossa, alta, mig rodona, més rara...

Però al Jan, no n'hi vaig dir res, de la capsa.

I vam sortir al jardí.

–També et pots amagar al jardí, rere la caseta –va dir el Jan.

Al jardí? Rere la caseta? Segur? Si hi havia aquella bèstia horrible! Ah, no! Amb aquell lleó, ni pensar-ho! Amb tant de pèl! Se'm menjaria!

El lleó va sortir...

I jo em vaig escapar de la mà del Jan. Vaig entrar a la casa. Vaig pujar les escales. I em vaig amagar a l'habitació del bebè. Dins l'armari. Amb la robeta perfumada i els dodotis. Justament al lloc més prohibit.

El Jan no em trobava, esclar. Perquè si encenia els llums i em cridava, la Calixta es despertaria. I el Jan no volia que es despertés.

Ni jo tampoc. No. Ni pensar-ho.

I no em va trobar.

Oi que sóc múrria?

8

El Jan va a l'escola a aprendre, ja ho he dit. Perquè les persones han d'aprendre un munt de coses.

A l'escola hi són totes. Sí.

Coses importants de veritat. Per exemple com s'explora la selva o què passa amb les granotes blaves, perquè les persones es fan molts embolics i confonen les coses. Els llibres ho expliquen tot. També expliquen què fan els exploradors.

Al matí em vaig amagar a la motxilla del Jan. Al fons. Amb dos o tres llibres a sobre. Aixafant-me el morro.

Al cap d'una estona, la motxilla va anar per terra. Amb mi a dins. I em vaig fer un nyanyo: havíem arribat a l'escola.

El Jan va anar a fer tombarelles. Se'n diu fer gimnàstica, d'això. Llavors vaig sortir del meu amagatall.

Però encara em fregava el nyanyo i buscava el llibre dels exploradors, que ells ja van entrar. Ells, els amics del Jan. I el Jan. Fent tombarelles. No tan bé com jo, esclar.

I em van veure.

Tots van callar. Perquè no havien vist mai una mona, es veu.

El Jan sí, però feia uns ulls com si no n'hagués vist mai cap.

Llavors em vaig posar a fer cabrioles, perquè riguessin. I es petaven de riure. Tots. Menys el Jan. El Jan no reia. No.

Em volia atrapar!

Ah, no, res d'atrapar-me! A jugar! I vaig fer un bot grossíssim. Fins al llum!

Però el llum no estava ben penjat, em sembla, perquè va caure. Sobre una taula, amb un terrabastall... I es va fer miques.

Llavors va entrar un senyor. A la classe. El que havia fet el llum, em penso, perquè es va enfadar molt.

–Què és això? Un mico?

Jo, un mico? És que aquest senyor del llum tampoc no havia vist mai una mona? Quina mena d'escola era aquella! Que ignorants!

I va passar una cosa encara més terrible. Sí. El Jan se'm va acostar, com si tingués mal de panxa. Jo li vaig fer una tombarella doble, un salt genial dels meus, que de poc si m'estavello. Però el Jan no va riure. No. Em va parlar amb aquella cara de pomes negres...

Em van pujar en un cotxe.

Quan em van poder atrapar, esclar.

Amb el senyor que havia fet el llum. I el Jan. M'agafaven fort. Molt fort.

9

He après una paraula nova: pacte. Me l'ha ensenyada el Jan. No m'agrada gaire. M'agraden més gelat de pistatxo i espanta-sogres! I Asurbanipal!

Asurbanipal era un rei. M'encanten els reis! Duen corona. Però de vegades els cau. Perquè les corones són d'or massís i pesen una tona. I no porten gometa sota la barba per aguantar-se. Llavors, si els cau, els reis han de pagar penyora i perden el castell. Però hi ha uns reis mags molt famosos que reparteixen regals i converteixen els dolents en gripaus o ratolins. O ànecs. O si ets molt dolent, en carbó. Són tres germans. Un de negre. I un amb vambes vermelles, com el Jan.

Potser em faig una mica d'embolic. Perquè aquest és el conte de l'aneguet lleig, oi?

Bé, ho sé pel Jan, això dels reis. Ho diuen els llibres. També estudia informàtica. Jo també. Sota la seva taula.

Era el pacte.

Si em porto bé, em quedo fins que vinguin els seus pares. Són de viatge. Ells sabran què n'han de fer, de mi. Perquè saben més coses que el Parmènides, es veu. És una solució molt assenyada, no us sembla? Se l'havia inventada el Jan. El Jan també havia fet un pacte amb el senyor enfadat del llum. És molt llest, el Jan.

Però a mi no em semblava una solució gens assenyada. Perquè fer bondat és molt ensopit. No xafardejo per la casa. Ni em moc del costat del Jan. No m'agrada fer bondat! M'avorreixo.

Però quan vaig descobrir el soroll, ja no em vaig avorrir. No.

Em vaig amoïnar.

És que no era un soroll. Era un timbre. Sonava a l'habitació del Jan. Cada matí. Una murga... I ens espantàvem. Tots dos. Ell es tapava el cap amb la nòrdica. Després li tirava el coixí o un llibre, al timbre aquell. Un dia una sabatilla, i de què si em toca! Quan no té més coses per tirar, es lleva, para el soroll i es fica al llit altre cop.

Pobre Jan...

Per això li vaig amagar el timbre. Als fons d'una capsa. Al seu armari. Un amagatall fantàstic! No el trobaria mai.

Però va passar una cosa rara. El Jan no va estar content, al contrari! Es va fer un tip de buscar el timbre! Jo vaig fer el despistat, en sé molt, de fer el despistat. Perquè no li pensava tornar. A més, quan el Jan vingués de l'excursió de les colònies, ni se'n recordaria.

Abans de marxar a fer les colònies, el Jan em va dir que anés amb compte amb l'àvia. Però jo estava més amoïnada amb la bestiassa del jardí, encara que fos un gos i es digués Tro.

10

Quan el Jan era a les colònies, vaig fer un descobriment: el bebè no tenia timbre. Només un tap a la boca. Molt curiós. Es diu xumet. Es treu per menjar les farinetes i es torna a posar perquè, quan no porta tap, el bebè plora.

I ara plorava, d'una manera... Just quan la Calixta havia anat a comprar, plàtans, em sembla.

M'hi vaig acostar, de puntetes i vaig posar el tap al bebè.

Però era un tap volador. El bebè va fer plaf! I el tap va sortir per la finestra. Volant. L'havia xutat amb la llengua! Oh, i ara què? Què faig, ara? Anar a buscar el xumet al jardí? Ah, no, jo no hi vaig al jardí, amb aquella bestiassa! Ni pensar-ho!

Però el bebè plorava d'una manera...

I la Calixta no venia! I el Jan era a fer colònies! Pobre bebè...

Vaig agafar-lo a coll. Com fa la Calixta. Primer vaig fer tentines i després vam anar tots dos per terra, perquè els bebès són més grossos que les mones!

Vaig fer-li ganyotes. El bebè no reia. Jo tampoc, perquè el bebè m'estirava els pèls!

I ja em vaig posar molt nerviosa, la veritat.

Llavors vaig pensar en els dodotis. Són màgics. Quan la Calixta el canvia, el bebè calla. M'hi fixo molt. N'hi vaig posar uns de nets. Com fa la Calixta. I el bebè va callar! Sóc una aventurera genial!

Però volia descobrir el secret. Perquè també sóc una mica xafardera...

Em vaig posar un dodotis.

I vaig quedar eixarrancada. Era difícil caminar. Que incòmode! Fora dodotis!

Però no era tan fàcil, treure's els dodotis. No. Perquè duen pega als costats.

I la pega s'enganxa.

Sobretot als pèls de les mones.

Vaig començar a estirar. Perquè quin ridícul si em veia aquella bestiassa del jardí, que ja es devia haver cruspit el xumet! I la Calixta, que, si m'enxampava amb els dodotis, m'envia al zoo de pet!

Em vaig fer un tip d'estirar.

Ai! Ui! Uf...

Per fi! Òndia!

Vaig anar al bany, a llençar els dodotis, com fa la Calixta.

Per cert, el bany és un lloc prohibit.

Per explorar.

Em vaig enfilar al lavabo. Amb compte. Perquè hi ha ampolletes i es trenquen. Són de colònia. La que fa el Jan, em sembla. Però no en vaig trencar ni una.

Només vaig tenir un ensurt.

Un ensurt grossíssim!

Sobre el marbre del lavabo hi havia una mona! Oh! Just al davant meu! Què hi feia una mona allà? Si aquella casa ja tenia mona! Jo!

Aquella mona s'assemblava a mi. I em mirava bastant enfadada. M'hi vaig acostar. Ella també!

–Ara veuràs qui sóc jo –li vaig dir.

Tot va passar molt de pressa.

Es van sentir cataclincs, cataclincs. I la mona aquella va fugir, la covarda!

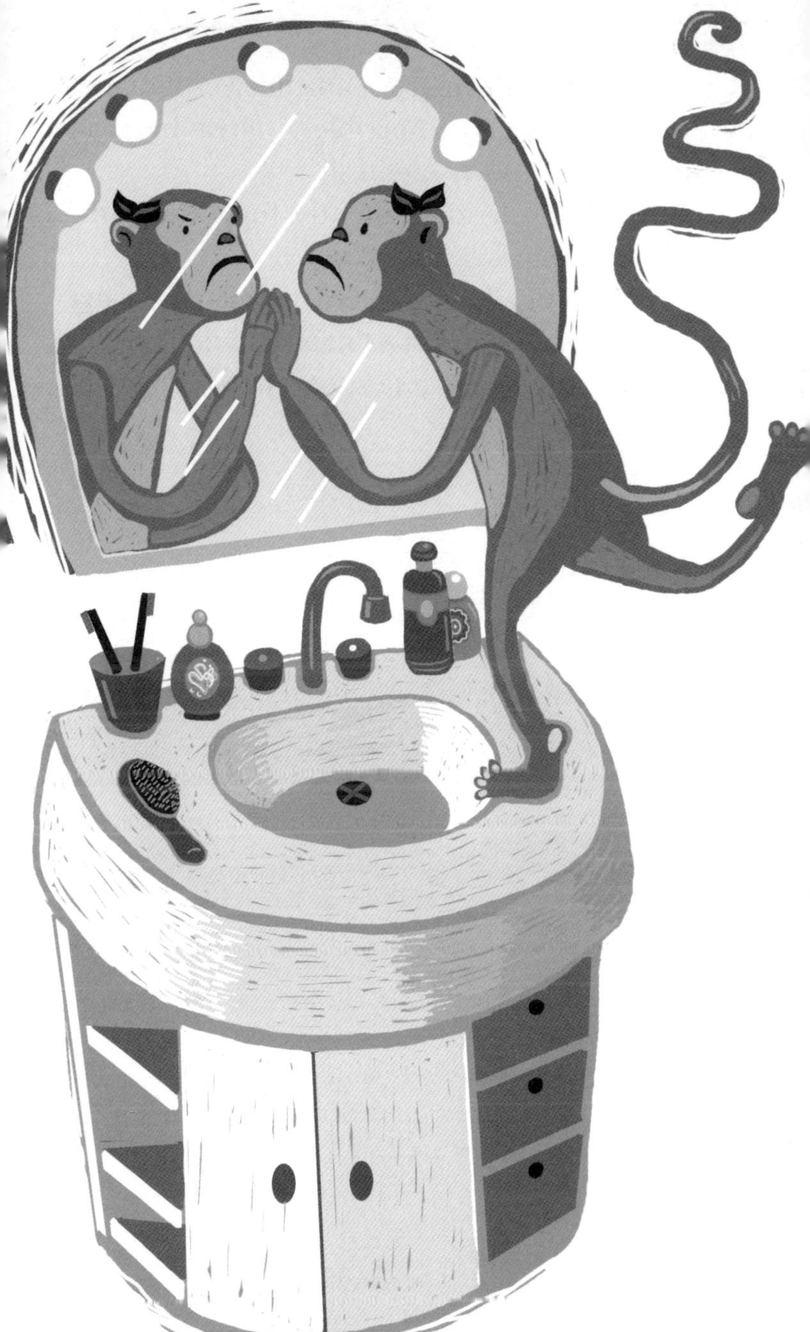

Vaig baixar del marbre una mica espantada. I va passar una cosa horrible. A terra, hi havia una colla de mones petites!

«Auxiliiii!», cridava mentre fugia del bany.

El bebè plorava altre cop.

Però jo em vaig ficar dins d'aquella capsa alta i rodona que havia vist a l'habitació del Jan.

Quin ensurt! De què si em moro! Quantes mones!

11

Vaig estar dos mesos dins d'aquella capsa. Més o menys. Vaig sortir un dia. O una nit, no sé, perquè duia la capsa posada. No me la podia treure. No veia res. Només els meus peus i el gerro de porcellana xinesa... quan va caure a terra, fet miques.

Amb un soroll molt bonic, això sí.

I jo no volia trepitjar els trossets de gerro, però em vaig entrebancar i vaig caure. Escales avall. Vaig saltar tots els graons. Rodolant. Un per un... Fins a la gàbia del lloro.

Vaig arribar marejada.

–Què hi fas dins el barret de copa? –va dir el Parmènides.

Era un barret de copa, allò? Oh!

–Serveixen per fer màgia –va dir el lloro.

Ah! I de dins, en surten conills, i coloms. I aneguets lletjos, i ratolins... I rinoceronts! I tigres! I lleons!

Lleons!

Surten lleons de dins el barret?

–Auxili! Vull sortiiir!

Però no podia.

Estava encallada dins.

I molt espantada.

Se'm va acudir donar cops de cul. I vam rodolar, el barret i jo. Fins que vaig sentir un aire fresquet als peus. Oh, que bé, amb la calor que feia allà dins!

Havia arribat al jardí.

Al jardí? Oh, no! I ara algú em feia rodolar! Era aquella bestiassa enorme, que m'havia descobert i se'm cruspiria!

De cop, em va volar un tros de barret.

La part de la teulada, diguem-ne.

Vaig veure un morro. I una pota. I molt de pèl!

Era ell!

Ens vam mirar. A mi em tremolaven les dents. La bestiassa va torçar el cap. Va parar de bordar. Jo vaig parar de demanar auxili, em sembla. I me'l vaig mirar amb aquella cara de llàstima que sé fer.

Així calladet, aquell monstre no semblava tan enorme, francament. Ni tan pelut. Ni tan ferotge.

Però encara sentia riure. Algú es reia de mi?

El gos aquell va tornar a bordar amb uns lladrucs impressionants. Perquè enfilada a la reixa del jardí hi havia un gat. Bé, una gata. Amb un llacet rosa. Que ridícul! Es deia Perla, per acabar-ho d'adobar. Em queia fatal, ja l'havia descoberta feia dies, jo...

I va passar una cosa curiosa, el gos aquell bordava fort, però la gata, tan fresca!

Va bordar fins que es va quedar afònic. Llavors aquell monstre de gos se'n va anar a la caseta. Ja no semblava una bestiassa ferotge, la veritat...

La Perla no parava de riure.

Doncs això no podia quedar així. Què s'havia cregut, aquella gata presumida!

Vaig sortir del barret.

Del que quedava del barret.

I em vaig enfilar a la reixa, més de pressa... A la Perla se li van posar els pèls de punta. I el llom com una ansa! I va fugir al seu jardí, la covarda, amb uns marrameus! Quin tip de riure!

El Tro havia vist la meva proesa. Em tenia enveja, segur. Perquè ell era molt pelut i molt gros, i feia molta patxoca, però no es podia enfilar com jo. Ni de bon tros! Ben pensat, ara jo també el podia empaitar i ser la mestressa del jardí. Sí. I dormir a la caseta, per exemple. Quina idea més genial!

Vaig agafar embranzida.

I el Tro es va amagar a la caseta, el poruc!

Jo hi vaig treure el cap. La caseta era fosca. No hi vaig entrar, per si de cas. Però ell va sortir. Caminava cap a mi. Jo anava de recules. Em va mirar. Va aixecar una orella, va torçar el cap. Em va somriure!

–Gràcies –em va dir molt afònic.

No m'ho esperava. Vaig quedar de pasta de moniato. De veritat.

I ens vam fer amics.

Perquè érem els amos del jardí.

Tots dos.

El Tro i jo.

I després vam fer un pacte: tindríem la Perla a ratlla. Entre tots dos. Sí. Ell la bordaria i jo l'empaitaria. I em podia amagar sempre que volgués a la seva caseta.

Després, dins la caseta, ens vam explicar coses de la nostra vida. Com vaig volar sense ales, i com vaig guanyar els goril·les disfressats d'óssos. També li vaig parlar del timbre.

Ell no en sabia res, del timbre.

El vaig anar a buscar. Vaig haver de regirar tot l'armari però per fi va sortir. Vam decidir amagar-lo dalt de l'arbre. Però va sonar i els ocells van fugir esverats. Per això el Tro va fer un clot a terra, bestial, i el vam colgar, ben fondo.

El Jan no el trobaria mai més.

Em queia bé, el Tro.

Llavors em va parlar dels lladres.

12

El Tro vigilava la casa perquè no entressin els lladres.

En sabia molt, de vigilar. S'entrenava amb la Perla; la bordava amb aquells lladrucs que deixen sord.

I es quedava afònic.

Però quan vinguessin els lladres no es quedaria afònic. No. Bordaria, els estriparia els pantalons i els lladres no tornarien mai més. Això faria!

El Tro ensumava els lladres d'una hora lluny. M'ho va dir. Però encara no n'havia vist mai cap, de lladre. I quan van venir, no els va ensumar gens ni mica!

Però quina cosa més rara, oi, que els lladres vinguessin precisament quan el Jan encara era a l'excursió fent colònies! I a casa només hi havia la Calixta i el bebè!

És que els lladres tenen espies. De vegades. I els espies vigilen. M'ho havia explicat el Tro.

Primer vénen els espies. I després, els lladres. Amb un manyoc de claus, un jersei ratllat, antifaç i bosses. O camions, depèn. El Tro ho sap.

Ho explicaré per ordre.

Jo ja havia descobert l'espia. Feia dies. Era un paio molt sospitós. Duia un raspallet sota el nas, un bigoti postís o així. Per despistar. I gorra de plat. Repartia cartes.

Ningú no sospitaria d'un espia que repartís cartes, oi? Perquè els espies treballen d'aviadors. O de pastissers.

Quan el Tro em va parlar dels lladres, vaig esperar el paio aquell dins d'una mata de margarides. Una que fa bonic a l'entrada.

Però aquell dia l'espia trigava.

I jo m'avorria.

Van venir dues papallones escarransides i un borinot. I sis vespes! Adéu!

No hi vull res, amb les vespes!

I justament llavors va venir. Ell. L'espia.

D'un un bot vaig saltar-li a l'esquena. Ho tenia ben pensat, jo.

L'espia es va espantar. Jo vaig caure a terra. Ell va pirar escopetejat. Trepitjant les plantes sense gens de compte. Quin destraler!

Només els lladres i els espies fugen així!

Però la Calixta va renyar el Tro. (A mi, no, a mi no em va renyar, jo no hi era per a la Calixta. Vaig desaparèixer el dia del carret de quadres verds amb plàtans i la salsa de tomàquet.) Perquè el Tro havia destrossat les precioses margarides, va dir la Calixta. No sortiria al carrer en una setmana. Castigat. Apa!

El Tro es va enfadar. Amb mi.

–Era un espia, Tro! –li vaig dir–. I l'he enxampat! No importa que la Calixta t'hagi castigat.

A ell sí. A ell li importava.

I tant li feia que l'espia dugués una cartera plena de cartes. I de postals. Perquè també hi duia postals. Molt boniques. Una, dels pares del Jan. D'un llac molt gran. Era el mar, va dir el Parmènides. A mi, que no m'hi busquin, al mar. Però és molt refrescant. El Tro hi ha anat. Amb el Jan.

Un dia hi anirem.

El Tro i jo.

Sí. Quan hàgim atrapat els lladres i el Tro ja no estigui enfadat. Farem un munt de coses! Quan el Jan torni de fer colònia, li preguntaré on queda el mar.

Però el Parmènides ho va esbotzar tot.

Es passa de savi.

Diu que amb una gorra de carter i repartint cartes com un carter, aquell espia no era espia: era un carter! No en té ni idea!

Si justament aquella mateixa nit van venir els lladres! N'era la prova, oi? O no?

13

Van venir els lladres, doncs.

Els vaig veure per la finestra de l'habitació del Jan. Duien samarretes ratllades. I un tou de bosses.

Em vaig posar més nerviosa... I vaig córrer a la caseta del Tro amb vuit plàtans, un pot de melmelada de tomàquet i *L'ullal blanc*, un llibre del Jan, que li agrada molt. Tot a la caseta! Amagat, amb el Tro, encara que estigués enfadat.

Però em vaig entrebancar amb el timbre. Es diu despertador. El Tro i jo l'havíem tret del clot i l'havíem posat dins la caseta. Perquè ens avisés quan vinguessin els lladres. Però no ens havia avisat!

Vaig tornar a la casa.

I els lladres es treien les sabates! I obrien la porta! Oh, no! Ja no podia amagar-me dins les margarides! Ni saltar a l'esquena dels lladres! I la Calixta dormia tan tranquil·la! I el Tro també, que ni s'havia adonat dels tresors que li havia deixat a la caseta!

Els tresors?

Oh! El bebè!

Era el tresor de casa!

Ho deia la Calixta. Perquè sap fer un munt de coses, el bebè. Sí. Fer volar xumets, per exemple.

Vaig agafar el bebè a coll. Vaig baixar les escales fent tentines. Pesava un tou. Però ja en sabia, de dur bebès a coll. I no vam caure ni res. El vaig deixar a la caseta, amb les coses valuoses.

Vaig despertar el Tro. Perquè havia de començar a bordar!

Però hi havia un problema. El Tro no podia bordar. No. Perquè el bebè es despertaria i ploraria! I els lladres el trobarien! Oh! I ara què?

–Jo vigilo el bebè i tu t'encarregues dels lladres! –vaig dir.

Sí. Jo m'encarregaria dels lladres i el Tro vigilaria el bebè.

Els lladres van pujar les escales.

Van entrar a l'habitació del bebè!

Però es van quedar amb un pam de nas. Perquè el tresor de la casa no hi era. Ha, ha!

Els lladres van anar a despertar la Calixta, molt esverats. Però jo, tranquil·la, el bebè estava amagat amb el tap a la boca. I el Tro no deixaria que els lladres s'hi acostessin.

–On és el bebè? –va preguntar un lladre a la Calixta.

La Calixta no ho sabia, per sort! I llavors es va marejar una mica, d'espantada. Pobra

Calixta! Quan pogués li diria que jo havia salvat el bebè.

Però passava una cosa estranya: tots tres buscaven el bebè. Els lladres també!

I va passar una cosa encara més rara: un lladre va trucar a la policia!

Jo vaig sortir del meu amagatall. I llavors em van veure!

–Qui és aquest mico? –va dir un lladre.

–Oh! És aquella bèstia! Encara és aquí! Ella s'ha endut el bebè! –cridava la Calixta.

Qui? Jo? Ui, quin embolic! I l'altre lladre preguntava:

–On és el bebè, Parmènides?

–A la caseta, a la caseta!

Però què feia el Parmènides? Ho havia xerrat!

–Bocamoll, més que bocamoll! –vaig dir-li enfadada.

Ningú no em va fer cas. Ni m'empaitaven ni res! Tots tres van córrer a la caseta del Tro!

I vaig descobrir una cosa terrible: la Calixta era còmplice dels lladres! Sí! I a més, el Tro no va bordar! No. Ni va estripar els pantalons de ningú. Ni va fer res de res!

Es va deixar pispar el bebè! Oh!

Va sonar un timbre fort.

La policia! Venien per atrapar els lladres! Per fi!

Però els lladres no tenien ganes d'escapar-se. Jugaven amb el bebè, molt contents.

Hi havia una mica d'embolic, em penso.

Alguna cosa fallava.

Sí.

Aquells lladres vivien a casa el Jan, sabeu? Més ben dit: eren els pares del Jan! Oh! Els pares del Jan eren lladres! Quina cosa més rara!

El Parmènides m'informava de tot. I el Tro em bordava:

–Anem, Hilda! Correm!

La porta del carrer era oberta.

–On anem, Tro?

–A una casa abandonada!

–Oh!

14

Corríem. És que si m'atrapa la guàrdia urbana m'envien al zoo.

Perquè jo estava d'estranquis.

No puc anar pel carrer, es veu. El Tro sí. Ell és un gos. Jo no. Jo sóc una mona. I una mona és un animal exòtic, em va dir el Tro. Em va sonar a selva i a coses importants.

Jo era un animal exòtic...

El Parmènides no. Ni els ocells. Si els ocells fossin exòtics, serien al zoo. Al zoo? Ni pensar-hi, allà no hi torno! Viure amb les persones és més divertit encara que algunes siguin lladres i hagis d'escapar-te corrents.

Però el Tro estava una mica enfadat. Amb mi. Perquè la Calixta el tornaria a renyar. Per això rumiava. Després de rumiar, va dir:

–Tornarem a casa quan ja hi sigui el Jan.

Perquè el Jan ens enyoraria. I ens buscaria. I estaria content quan ens veiés. I llavors la Calixta ja no estaria enfadada.

–S'han de deixar passar dies –va dir el Tro.

Que intel·ligent, el Tro!

Però per què estaven enfadats els lladres? Vull dir els pares del Jan? Si els lladres no s'havien endut el bebè, gràcies a mi! Perquè, si jo no l'amago, se l'enduen...

Bé, se l'enduen uns altres lladres, esclar... Uf, quin embolic! Costa molt que les persones entenguin les coses, eh? Perquè són molt complicades, les persones...

Mentrestant havíem arribat a la casa abandonada.

No hi havia ningú.

Hi viuríem nosaltres. Em semblava.

Però jo tenia gana.

–En una casa abandonada no hi ha menjar, Tro?

Es veu que no.

Tampoc no hi havia llum. Era fosca. I molt gran. Un castell, em sembla. Amb els vidres trencats i cortines esparracades. I als castells hi ha taràntules i ratolins. I monstres!

–Tranquil·la, Hilda –em vaig dir.

Perquè jo sóc una exploradora i no tinc mai por, em sembla... A més, el Tro era enorme i feia una patxoca...

El Tro i jo vam fer una visita turística. Fins a la teulada. Vam pujar moltes escales. Ens vam passar el dia remenant. Hi havia piles de porqueria i trastos vells. I cagallonets de ratolí. Però, de ratolins, no en vam veure. Potser es van espantar davant d'un animal exòtic.

Vam veure quadres. Un del mar. Amb barques i unes onades bestials! A mi que no m'hi busquin, al mar, ja ho he dit abans.

També hi havia uns llits enooooormes. Amb matalassos. Viscaaa! Ens hi vam tirar de cap. Que divertit! En va sortir un núvol de pols i vam tossir molta estona. Sis hores aproximadament. Ens hi quedaríem, sense saltar, a ferhi la migdiada.

–Però la migdiada es fa després de dinar, oi, Tro?

Sí. I nosaltres no havíem menjat res! No podíem fer la migdiada.

Vam continuar explorant. Pel menjar.

En aquesta casa també hi havien vingut lladres, es veu, perquè només hi quedava una cadira de tres potes i una taula corcada.

I per fi vam descobrir teca. A la nevera. Hi havia un tomàquet podrit. Tres cebes. I dues patates, amb grills. Però ni plàtans. Ni cacauets. Res.

–Mira, Tro, tres iogurts!

Caducats. Però ens els vam menjar. Eren boníssims...

–Ja podem tornar a casa, Tro?

Perquè jo tenia una gana...

Llavors el Tro va dir que sabia un lloc ple, ple de cacauets i crispetes!

–De cacauets? Ummmmm! De veritat?

Just en aquell moment vam sentir soroll. Ens vam quedar glaçats.

–Els ratolins! –vaig cridar.

Eren molt grossos, aquells ratolins.

Com una persona. Més o menys. I caminaven sense enraonar. A les fosques.

–Lladres! –vaig cridar altre cop.

Però què hi feien uns lladres si no hi havia res per robar? Llavors vaig pensar en un conte que m'havia explicat el Jan: fantasmes, eren fantasmes!

–Què fem, Tro?

El Tro no em sentia. Perquè a mi no em sortia la veu.

Però aquests fantasmes no eren transparents. No. Duien texans. I van anar de pet a la nevera.

A buscar els iogurts caducats.

I ens van veure! Oh!

–Mireu! Una mona! –va fer un fantasma amb texans.

–És una mona! –va cridar un altre.

Que simpàtics! Aquests em coneixien! Però nosaltres havíem d'anar a menjar cacauets de pressa. I no ens podíem entretenir amb fantasmes! Adéu!

–Qui eren, Tro?

–Okupes.

–Okuquè?

Oh! Quantes coses sabia, el Tro!

I que amics que érem!

I ja no estava enfadat!

15

Els cacauets creixen dins unes bosses de plàstic. Mossegues les bosses i surten els cacauets. Les persones se'ls mengen, sobretot al cine. També mengen pipes i crispetes. Nosaltres hi anàvem pels cacauets.

El Tro tenia raó, n'hi havia un munt, de cacauets!

Però un senyor els vigilava. Sí. Perquè cap animal exòtic no se'ls endugués.

Les persones els compren. Nosaltres no, no tenim diners. Oh, i ara què havíem de fer? Doncs el Tro i jo ens vam empescar un estratagema. M'encanta aquesta paraula!

L'estratagema anava així: el Tro borda, distreu el vigilant, jo agafo els cacauets i fugim. I ja està. És el que fan els gossos i les mones exòtiques quan es moren de gana.

Però no va funcionar.

Jo vaig saltar, vaig agafar tres bosses de cacauets. Però vaig entrar al cine! M'havia equivocat de porta.

El cine és molt fosc. No veus res. Ni els cacauets que et cauen per terra, que ja els havia perdut tots, jo! I no pots enraonar. I les perso-

nes seuen unes al costat de les altres. Quin lloc més estrany, el cine! I perillós! Per això el Tro em va estirar la cua, m'havia seguit!

Ens vam amagar sota les butaques. Perquè el cine és per a les persones i no hi poden entrar gossos ni animals exòtics.

Però jo guipava. Al davant hi havia claror i un senyor amb una mona!

–És la selva –em va dir el Tro.

Per fi!

Oh, que interessant, el cine! També hi havia plàtans allà al davant! Però jo no hi podia anar. No. De cap de les maneres. Em veurien.

Però els plàtans m'agradaven tant que vaig sortir de l'amagatall. El Tro m'estirava la cua.

Però jo vaig estirar més.

Vaig saltar per sobre les cadires, vaig trepitjar el barret d'una senyora, les crispetes d'un senyor. Vaig arribar a la selva. I em vaig endur els plàtans!

Però els plàtans van desaparèixer, només em va quedar un tros de roba a la mà. O de paper, no ho sé.

La gent xisclava. El Tro bordava.

Els llums es van encendre. Hi havia un enrenou... I la gent va començar a empaitar-me!

Auxili!

Vaig fugir. Al carrer. No sé com, sense volar, em sembla. No ho entenia gaire. El Jan m'ho explicaria. O el Parmènides. Quan arribés a casa. Oh! Però com s'hi arribava? I on era el Tro?

Vaig trobar un lloc amb arbres. I vaig caure en un forat. Altre cop!

16

Era una especialista, jo, a amagar-me en forats.

Però aquest tenia aigua. Al fons. Amb una pudor... Ecs! (Ara ho sé, era una claveguera!)

La nit va durar dues o tres setmanes.

Quan per fi es va fer de dia, estava mig marejada, de la pudor. Però em vaig enfilar a un arbre. Per veure la casa del Jan. O la dels iogurts caducats.

I vaig veure el zoo! Oh, amb plàtans per berenar i cacauets i... i el Tro! Sí. Ho era! Allà lluny. Em venia a buscar!

–Un amic no et deixa mai. És fidel, saps? –em va dir.

Fidel...

Que bé que sonava, no com claveguera, que fa pudor! I em vaig inflar com si m'hagués begut una ampolla de suavitzant, el del pollet groc que fa servir la Calixta. I vaig volar com una papallona...

Després ens vam posar a filosofar. El meu amic fidel i jo. Vora un magnolier.

Fins que van ploure cacauets. Sobre el meu cap. El Parmènides va venir volant i me'ls va tirar. Un regal. Per fi en menjàvem! Oh, quin amic, el lloro! I els cacauets són molt més bons quan filosofes amb un amic sota un magnolier!

–Nosaltres ens refiem l'un de l'altre, oi? I som fidels, oi? I fem estratagemes, oi, Tro?

–Sí. I pactes! –va dir el Tro.

I mengem cacauets junts. Això.

–El Parmènides també és amic nostre, oi, Tro? –vaig preguntar.

Sí. I el Jan.

–Saps, Tro? El Jan m'hauria dut cacauets al zoo, però estava prohibit. Ho deia en un cartell. El Jan també és molt amic meu.

I llavors li vaig dir el secret.

El del Jan i jo.

Que aniríem a la selva. A fer aventures. Quan fóssim grans.

–Hi pots venir, si vols –vaig dir al Tro.

–D'acord.

També ho direm al Parmènides. Que bé que ens ho passarem a la selva tots quatre!

I vam deixar d'explicar secrets. Perquè el Jan ja havia fet prou colònia. I avui arribava.

Era el moment de tornar a casa.

Oh! I jo amb aquella pudor! Ecs!

17

Vam córrer a casa el Jan. Al jardí. Al lavabo a rentar-me, no hi anava. Ni boja! Amb tantes mones!

Al jardí hi ha una mànega de regar. Primer jugàvem amb l'aigua. També mullàvem la Perla, per xafardera. Després em vaig posar gel de bany. D'una ampolla verda. Uuuummm, quina olor més bona... Quanta escuma!

El sabó pica als ulls. Els tenia aclucats. Però amb les orelles ho sentia tot.

–Ninot de neu! Plat de nata!

Era la Perla! Ninot de nata, jo? A mi m'ho deia? Plat de neu? Se'n reia? De mi? Ara veurà!

No m'hi veia. Però em vaig enfilar a l'arbre, vaig relliscar. I em vaig clavar una pinya... I la Perla no parava de riure! Sort que el Tro em va regar ben regada. Com un gladiol o un hibisc. Em va marxar tot el sabó. Dels ulls també.

I vaig veure un bassal bestial, a la gespa.

Amb unes illetes blanques. De sabó. Que bonic! L'havíem fet nosaltres, el bassal!

Però a la Calixta no li agradaria. Per això vaig regar més, perquè se n'anessin les illetes. I la Calixta no renyés el Tro.

También vaig ruixar la Perla. Va fer un bot! I vaig regar molta estona la paret on s'enfilava. Així la teníem a ratlla. Que divertit!

Però la gespa es va convertir en un llac.

Es va inundar la caseta del Tro.

I el jardí dels veïns.

I la saleta de casa el Jan.

Però la gata presumida i xafardera ens va deixar tranquils.

Després em vaig posar colònia. Una de la Calixta. I va passar una cosa terrible: vaig quedar encarcarada! Amb els pèls drets i forts com un eriçó! No podia ni moure els braços. Oh, pobreta de mi...

El Tro va fugir perquè no el punxés.

És que no era colònia.

No.

M'havia posat laca. Tota l'ampolla. Fa bona olor, la laca. Però enganxa més que els dodotis! De veritat.

I llavors van arribar. Tots. Amb el Jan que ja estava de fer la colònia. Oh! I jo com un cactus! Ara sí que em portarien al zoo! Amb els eriçons! O al jardí botànic!

Oh! I no em podia amagar enlloc!

Anava al veterinari. A peu. Pel carrer. Amb el Jan, el papa del Jan i el Tro. Ben agafada de la mà.

Tothom em mirava. Tenia una vergonya, jo... Em vaig tornar vermella i tot, em sembla.

Perquè era un cactus amb potes.

El papa del Jan estava enfadat. I molt cansat. Havia hagut de replantar la gespa. I la dels veïns. I netejar tota la casa. Perquè quan el Tro havia entrat a buscar el sabó i la laca, ho havia empastifat tot. No va amb compte, el Tro, és un deixat. I havíem gastat l'aigua de tot un mes!

–Un tou d'euros, i és molt poc ecològic –va dir el papa del Jan.

Vam arribar a casa el veterinari. No em va caure gens simpàtic. Em va agafar com una pilota. Em va ensabonar, fregar, esbandir, friccionar, assecar. I flitar!

Per les puces.

Però si ja m'havien fugit totes amb la laca!

Després ens va donar una sorpresa.

Sobretot a mi.

Tenia la foto d'una mona. Jo! Quin detall. Els del zoo em buscaven.

–De veritat? –va dir el Jan.

Estava molt intrigada, jo. El papa del Jan també. I el Jan.

El veterinari sabia un munt de coses de mi. Que em deia Cabriola, però com si no me'n digués, perquè no feia cas de res, només dels cacauets. Tot això estava escrit al darrere de la foto!

Havia de tornar al zoo.

El veterinari mateix m'hi podia dur. A més, donaven una recompensa.

–No, gràcies. No la volem –va dir el Jan.

Recompensa. Quina paraula més rara!

19

Vam tornar a casa.

Ni el Jan ni el seu papa no es recordaven del zoo, ni del veterinari.

I jo ja estava mig adormida sota el meu sofà quan em va entrar per l'orella aquella paraula raríssima:

Recompensa.

I van seguir tot de paraules lletges.

–És el més convenient –deia el papa del Jan.

Em durien al zoo? Vaig quedar feta un nyap. Això pintava malament de veritat.

Vaig veure el Jan. Amb les vambes vermelles. I molta colònia. Feia bona olor. Aniríem a passejar? Amb cotxe? Sí?

Però el Jan em penso que havia menjat cagarrets d'aquella pomera.

–No és per la recompensa, de veritat! És la llei, Hilda –va dir el Jan.

I em va mirar amb una cara... Anàvem a veure la llei?

Vam pujar al cotxe. Tots. Menys el Tro i el Parmènides.

Vam veure un avió. El que agafaríem per anar a la selva!

Però tot allò no m'agradava gens. El papa del Jan em va dir:

–El teu lloc és el zoo. I jo tinc un deure.

Un deure? Em sonava. Com els del Jan? Els de comptar mobles d'un hotel o bicis dels de l'escola? Ui, no!

El papa del Jan va dir més coses:

–Menjaràs molts cacauets. Et vindrà a veure un munt de gent. Et faran fotos. Has estat protagonista d'una aventura, escapar-se del zoo no ho fa tothom! Seràs famosa. N'estaràs encantada, ja ho veuràs.

N'estaria encantada. Sonava bé. Sí. Molt bé. I ser famosa també. I explicar la meva prodigiosa vida. A més, era fotogènica, jo. I em farien un tou de fotos fent tombarelles! O un doble salt mortal. Sí. Tothom voldria ser com jo. També les persones. Perquè les persones volen ser famoses. Oh! Explicaria les aventures de la selva i del lleó pelut del jardí. Els cauria la bava! Potser faria cine! Que bé ser famosa!

Ja érem prop del zoo.

I em va caure un cacauet al cap! Me'l va tirar el Parmènides!

Em venia a dir adéu.

Ell i el Tro.

El Tro no volava, esclar. Es va posar al meu costat. Llavors vam sentir música. Em venien a rebre? A mi? Eren pallassos? Del circ aquell? Quina enveja em tindria la Perla!

–No em veus diferent? Ara sóc famosa –vaig dir al Tro.

El Tro no veia res. Li ho vaig explicar. Faria una pel·lícula, jo. I em menjaria tots els cacauets que volgués!

–Ja... –va fer.

Ell havia travessat l'autopista. Era perillós, travessar una autopista. Havia fet molts quilòmetres. Havia corregut molt. Però em vindria a veure de tant en tant, al zoo.

–La Perla t'enyorarà... –va dir el Tro.

Havien quedat per anar al cine tots dos, el Tro i la Perla, a buscar cacauets. Per dur-me'n.

–No cal. En tindré molts, al zoo.

Però no serien tan bons. No. Perquè són més bons sota un magnolier, filosofant amb un amic.

De fet a mi no m'importaria menjar iogurts caducats, la veritat.

O un tomàquet podrit a la casa abandonada. Va ser una gran aventura, oi? I a la caseta del Tro s'hi està la mar de bé, mirant la lluna...

–Vigilaràs els lladres i el bebè, oi, Tro? I em vindràs a veure, oi?

–Ara ja no anirem a la selva, ni a fer la volta al món, Hilda –va dir el Tro.

La porta del zoo era de ferro. Molt bonica.

I molt, molt alta.

I vaig veure el Jan. Amb cara de pomes en forma de cagarret.

–Adéu, Hilda –va dir el Tro.

–Adéu, Hilda! –va dir el Parmènides.

Adéu Tro? Adéu Parmènides?

No em va sortir.

I els estratagemes? I els pactes? I adéu selva i adéu fer la volta al món? I ja no empaitaríem mai més la Perla?

–Adéu! –vaig dir.

–Eh, Hilda! –va cridar el Jan

–Eh, Cabriola –va dir el papa del Jan.

Cabriola? No sé qui era, aquesta.

–Corre, Jan, agafa-la! Corre!

Però jo vaig córrer més.

20

Vaig córrer més que el Jan! Que estrany, oi?

Ara sóc a la casa dels iogurts caducats. A les golfes. Plenes de trastos. S'hi està la mar de bé. Els fantasmes tenen la nevera plena; m'atipo de iogurts que no són caducats, i de pometes, que no són gens dolentes.

Aviat anirem a la selva.

Tots quatre. Amb el Jan. Potser els fantasmes dels texans també voldran venir. Els ho preguntaré. Són molt simpàtics. I llogarem un autocar. O potser un avió.

–Ep, hola!

Han arribat. El Tro, el Parmènides i la Perla. Els meus amics. Amb notícies.

El Jan creix molt. Ho sé. I de vegades ve, quan no té gaires deures.

Avui anirem al cine. Ens farem un tip de riure! I menjarem cacauets sota el magnolier! I filosofarem! I enraonarem de coses de la vida. El Parmènides en sap un tou.

Ara ja sabeu on sóc. No ho digueu a ningú, eh?

Estem esperant que el Jan sigui gran. Llavors anirem a la selva. I tindrem un tou d'aventures!

En tenim unes ganes...

Índex

M. ÀNGELS BOGUNYÀ

M. Àngels Bogunyà i Carulla va néixer a Molins de Rei, al Baix Llobregat, on també viu actualment. Va estudiar filosofia i lletres i és diplomada en magisteri.

Ha treballat com a professora en diversos camps de l'educació: a l'escola primària, amb adults i també en educació especial amb infants discapacitats mentals, autistes i sords.

Els últims anys ha compaginat diverses feines editorials, com ara traduccions de literatura infantil i juvenil, dinamitzacions i motivacions lectores, narracions de contes i guions per a àlbums il·lustrats..., amb escriure per a infants i joves. Actualment, la literatura és l'activitat a la qual dedica més temps.

Ha guanyat diversos premis literaris: el Guillem Cifre de Colonya, el Folch i Torres i el Vaixell de Vapor, entre d'altres.

AQUEST LLIBRE S'HA ACABAT
D'IMPRIMIR EL MES D'OCTUBRE
DEL 2012.